당신을 위한
힐링타임

내 안의 나를 만나는 몰입의 순간을
만나보세요

당신을 위한 힐링타임

발 행 | 2023년 12월 21일

저 자 | 이혜연

펴낸이 | 한건희

펴낸곳 | 주식회사 부크크

출판사등록 | 2014.07.15.(제2014-16호)

주 소 | 서울특별시 금천구 가산디지털1로 119 SK트윈타워 A동 305호

전 화 | 1670-8316

이메일 | info@bookk.co.kr

ISBN | 979-11-410-6148-7

www.bookk.co.kr

당신을 위한

힐링타임

부 록

여는 말

저는 매일 그림을 그리고 시를 쓰는 난나 작가 이혜연입니다.

난나라는 의미는 '**나는 나로서 오늘을 완성한다**'입니다.

사람이 행복하면 나온다는 도파민은 강한 몰입을 통해서도 분비되는 행복호르몬이라고 합니다. 그림은 아주 어렸을 때부터 누구나 시간가는 줄 모르고 빠져드는 일 중에 하나인데요. 요즘은 젊은 치매나 기억력 감퇴, 우울증 해소등으로 더 좋은 활동으로 알려져있습니다. 그림을 그리며 살고 싶었던 저는 오십이 되는 작년부터 매일 그림을 그리고 시와 에세이를 발행하고 있습니다.

시화집<오늘을 완성한 시간>의 저자이기도 하고 두 아이의 엄마이기도 한 저도 매일 스트레스가 쌓였지만 그림을 그릴 때만큼은 그 시간에 온전히 빠져들어 몰입의 즐거움을 만끽했던 것 같습니다. 매일 매일 하루의 끝에 만나는 왠지모를 허무함도 그림을 그리면서 작은 성취감으로 바뀌고 삶은 더욱 활기차게 바뀌었습니다. 여러분의 하루는 어떠신가요? 때로, 고단하고 힘드실때가 있다면 그럴때 시간가는 줄 모르고 즐길 수 있는 <당신을 위한 힐링 타임>으로 몰입의 즐거움을 느껴보시면 어떨까요? 빨강과 파랑, 노랑과 초록으로 나만의 그림을 완성하다 보면 행복호르몬이 가득 차 오르실거라 믿어요. 그렇게 즐거운 몰입과 스몰 스텝을 통해 하루 하루 행복을 더해가실 수 있길 바랍니다. 끝으로 늦깎이 엄마를 사랑으로 기다려주는 우리 준우와 윤우, 그리고 저의 평생 반려자인 신랑에게 감사드리고 하늘에 계신 부모님께도 감사드립니다.

너에게

그 해 가을

준 비

봄 햇살 같은

화장을 하고

오렌지가 익어가는 시간

파도

파문

고뇌

그대 휴식

그럴 수도 있지

그래, 이 맛이야

봄 스토리

당신과의 대화

꽃이 핀다고 봄은 아니지만

그대의 말이 그대의 눈을 속이지 못하게

들리니?

유 혹

시 선

모란의 노래

흐린 날

위로

풍요

달콤한 나의 시간